5/08

ALFAGUARA

ALFAGUARA

EL OSO QUE NO LO ERA
Título original: *The Bear That Wasn't*

D.R. © del texto y las ilustraciones: FRANK TASHLIN, 1946
D.R. © de la traducción: SANTIAGO LODAMOS
D.R. © Aguilar, Altea, Taurus, Alfaguara, S.A. de C.V., 1987

D.R. © de esta edición:
Santillana Ediciones Generales S.A. de C.V., 2004
Av. Universidad 767, Col. Del Valle
03100, México, D.F.

Alfaguara es un sello editorial del **Grupo Santillana.**
Éstas son sus sedes:

ARGENTINA, BOLIVIA, CHILE, COLOMBIA, COSTA RICA, ECUADOR, EL SALVADOR,
ESPAÑA, ESTADOS UNIDOS, GUATEMALA, MÉXICO, PANAMÁ, PARAGUAY, PERÚ, PUERTO
RICO, REPÚBLICA DOMINICANA, URUGUAY Y VENEZUELA.

Primera edición en México: 1987
Primera edición en Editorial Santillana, S.A. de C.V.: abril de 2003
Primera edición en Santillana Ediciones Generales S.A. de C.V.: marzo de 2004
Primera reimpresión: febrero de 2005
Segunda reimpresión: febrero de 2007
Tercera reimpresión septiembre de 2007
Cuarta reimpresión: octubre de 2007

ISBN: 978-968-19-0779-2

Impreso en México

Este libro terminó de imprimirse en octubre de 2007 en
Impresora y encuadernadora Nuevo Milenio, S. A. de
C. V., San Juan de Dios núm. 451, Col. Prados Coapa
3a. sección, c, p. 14357, Tlalpan, México, D. F.

El oso que no lo era

Frank Tashlin

Ilustraciones del autor

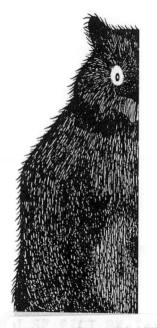

ALFAGUARA

PARA

PATRICIA

ANNE

LA

NIÑA

QUE

LO

ERA

Erase una vez —para ser
más precisos un martes—
un oso que estaba parado en
el lindero de un gran bosque
mirando hacia el cielo. Allá,
muy alto, vio una bandada
de gansos salvajes que volaban hacia el sur.

Se volvió y miró desde abajo los árboles del bosque. Todas sus hojas se habían vuelto amarillas y cafés y caían de las ramas una a una.

Sabía que cuando los gansos volaban hacia el sur, cuando las hojas caían de los árboles, el invierno no tardaba en llegar. Pronto la nieve cubriría el bosque y ya era hora de buscar una cueva en la cual invernar.

Y eso fue, precisamente, lo que hizo.

Poco tiempo después —para ser más precisos un miércoles—
llegaron unos hombres... muchos hombres que traían planos,
mapas e instrumentos de medición.
Trazaron, proyectaron, midieron de un lado a otro.

A continuación llegaron más hombres, muchos hombres con
excavadoras, sierras y tractores. Excavaron, serraron, apisona-

ron y lo arrasaron todo de un lado a otro. Y trabajaron, trabajaron y trabajaron hasta construir una gran, inmensa, colosal

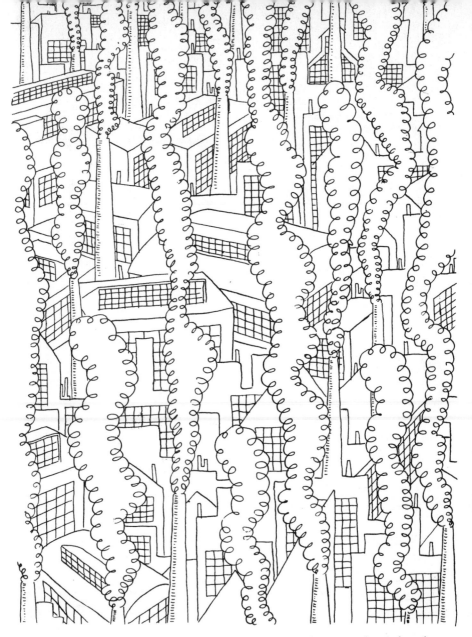

fábrica **JUSTO ENCIMA** de la cueva en la que dormía el oso.

La fábrica funcionó durante todo el largo y frío invierno.

y
entonces
volvió
la
PRIMAVERA

Aún medio dormido, se puso de pie y miró a su alrededor. Estaba muy oscuro. Apenas si se podía ver.

Allá, muy hondo, debajo de uno de los edificios de la fábrica, el oso se despertó. Parpadeó y bostezó.

Pero a lo lejos vio una luz. —¡Ah! —se dijo—, allí debe estar la entrada de la cueva. Y volvió a bostezar.

Subió las escaleras hasta la entrada y salió fuera, donde brillaba un sol primaveral. Tenía los ojos medio abiertos y seguía con mucho sueño.

Pero poco tiempo iba a estar con los ojos a medio abrir. De repente... ¡PAFFF!... se le abrieron de par en par. Miró fijamente lo que tenía delante.

¿Dónde estaba el bosque?
¿Dónde estaba la hierba?
¿Dónde estaban los árboles?
¿Dónde estaban las flores?

¿QUE HABIA PASADO?

¿Dónde estaba?
Todo le parecía raro. No sabía dónde estaba.

Pero nosotros sí, ¿no es verdad? Sabemos que está justo en medio de una fábrica que está trabajando al máximo.

—Seguro que estoy soñando —se dijo—. Claro que sí. Eso es. Estoy soñando —y volvió a cerrar los ojos y se pellizcó.

Muy despacito los abrió otra vez y miró a su alrededor. Pero ahí seguían los inmensos edificios. No, no era un sueño. Era todo de verdad.

En ese mismo instante salió un hombre por una puerta.

—¡Eh, tú, ponte a trabajar! —le gritó—. Soy el *Capataz* y como no me hagas caso te voy a denunciar.

—Yo no trabajo aquí —dijo el oso—. Yo soy un oso.

El Capataz soltó
una carcajada.

JA JA JA JA

JA JA

JA

JA

—Esa sí que es una
buena excusa
para no trabajar.
¡Decir que es un oso!

—Pero es que soy un oso —dijo el oso.

El Capataz dejó de reírse, muy enfadado.

—No intentes engañarme —le dijo—. Tú no eres un oso. Tú eres un hombre, tonto, sin afeitar y con un abrigo de pieles. Te voy a llevar al despacho del *Gerente*.

—Se equivoca usted —dijo el oso—. Yo soy un oso.

El Gerente también estaba muy enfadado.

—Usted no es un oso. Usted es un hombre, tonto, sin afeitar y con un abrigo de pieles. Le voy a llevar ante el *Vicepresidente Tercero*.

—Cuánto siento que me diga eso... porque yo soy un oso.

El Vicepresidente Tercero estaba aún más enfadado.

Se levantó de su silla y le dijo:

—Usted no es un oso. Usted es un hombre, tonto, sin afeitar y con un abrigo de pieles. Ahora mismo voy a llevarle ante el *Vicepresidente Segundo.*

El oso, apoyándose en la mesa, dijo:

—Pero eso no es verdad, yo soy un oso. Sencillamente soy un oso cualquiera, normal y corriente.

El Vicepresidente Segundo
estaba más que enfadado.
Estaba furioso.
Apuntó con el dedo
al oso y le dijo:
—Usted no es un oso.
Usted es un hombre, tonto,
sin afeitar y con un abrigo
de pieles. Vamos a ver al
Vicepresidente Primero.
—¿Quién? ¿Yo?
—preguntó el oso—.
¿Cómo puede usted
hablarme así si yo
lo que soy es un oso?

El Vicepresidente Primero gritaba enfurecido:
—Usted no es un oso. Usted es un hombre, tonto, sin afeitar y con un abrigo de pieles. Le voy a llevar ante el *Presidente*.

El oso le suplicó:

—Pero mire, todo esto es un terrible error. Que yo recuerde, he
sido un oso toda la vida.

—Escúcheme —le dijo el oso al Presidente—, yo no trabajo aquí. Soy un oso y por favor le ruego que no me diga que lo que soy es un hombre, tonto, sin afeitar y con un abrigo de pieles, porque ya me lo han dicho el Vicepresidente Primero, el Segundo, el Tercero, el Gerente...

...y el Capataz.

—Le agradezco que me haga la advertencia —dijo el Presidente—, y no se lo diré, porque eso es, precisamente, lo que pienso
que es usted.

—Soy un oso —dijo el oso.

El Presidente sonrió y dijo:
—No puede ser un oso. Los osos sólo están en zoológicos o en el circo. Nunca están en una fábrica. Por lo tanto, ¿cómo puede ser un oso?

—Pero soy un oso —dijo el oso.

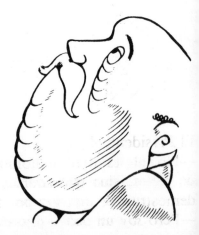

El Presidente dijo:

—No sólo es usted un hombre, tonto, sin afeitar y con un abrigo de pieles, sino que además es usted muy testarudo. Le voy a demostrar, de una vez por todas, que *no* es un oso.

—Pero *soy* un oso —dijo el oso.

Y

ASI

SE

SUBIERON

TODOS

AL

COCHE

DEL

PRESIDENTE

Y

SALIERON

CAMINO

DEL

ZOOLOGICO

—¿Es un *oso* éste? —preguntó el
Presidente a los osos del zoológico.
Los osos del zoológico contestaron:
—No, no lo es, porque si fuese un
oso no estaría fuera de la jaula con
usted, sino dentro con nosotros.
—Pero soy un oso —dijo el oso.

—Yo sé lo que es usted —dijo un osito del zoológico—; usted es
un hombre, tonto, sin afeitar y con un abrigo de pieles.
Y todos los osos del zoológico se echaron a reír.
—Pero soy un oso —dijo el oso.

Y

   TODOS

      SE

         FUERON

         DEL

           ZOOLOGICO

           Y

              SE

                DIRIGIERON

               AL

                  CIRCO

                  MAS

                    CERCANO

                    QUE

                      ESTABA

                      A

                        MAS

                          DE

                            SEISCIENTAS

                              MILLAS

—¿Es un *oso* éste? —preguntó el Presidente a los osos del circo.
—¡Qué va a ser un oso! —contestaron los osos del circo—; si
fuese un oso no estaría sentado en la tribuna con usted, sino
que llevaría, como nosotros, un sombrerito con una cinta a
rayas, un globo en la mano e iría montado en una bicicleta.
—Pero soy un oso —dijo el oso.

—Yo sé lo que es usted —dijo uno de los ositos del circo—. Usted es un hombre, tonto, sin afeitar y con un abrigo de pieles.

Y todos los osos del circo se echaron a reír y por poco se caen de las bicicletas.

—Pero soy un oso —dijo el oso.

Salieron del circo y regresaron a la fábrica.

Así que se llevaron al oso
y lo pusieron a trabajar en una
máquina muy grande con un
montón de hombres.
El oso trabajó meses y meses
en aquella gran máquina.

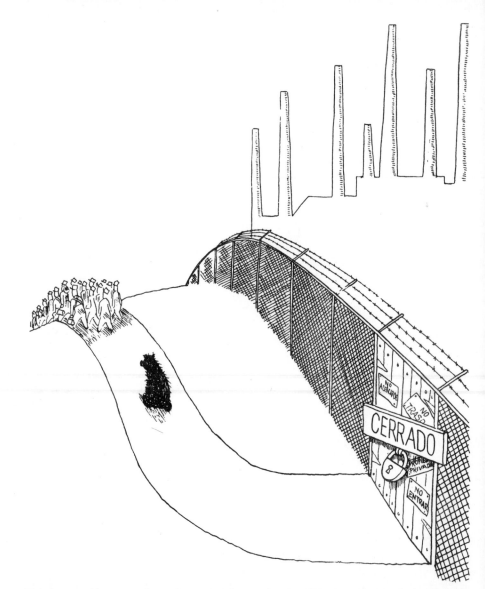

Pero un día, mucho tiempo después, la fábrica tuvo que cerrar.
Despidieron a los obreros, que se volvieron a sus casas.
El oso los seguía de lejos. Estaba solo y no tenía a dónde ir.

Mientras iba caminando se le ocurrió mirar al cielo. Allá, muy alto, vio una bandada de gansos salvajes que volaban hacia el sur.

Miró desde abajo los árboles
del bosque. Todas sus hojas
se habían vuelto amarillas y
cafés y caían una a una de las
ramas.

El oso sabía que cuando los gansos
volaban hacia el sur y cuando las
hojas caían de los árboles, el invierno
no tardaba en llegar. La nieve cubriría
el bosque. Era hora de meterse en una
cueva para invernar.

Y fue andando hasta un árbol enorme bajo cuyas raíces había
una cueva oculta.
Cuando estaba a punto de entrar se paró y dijo:

—Pero NO puedo entrar en la cueva para invernar. NO soy
un oso. Soy un hombre, tonto, sin afeitar y con un abrigo de
pieles.

Y así llegó el invierno y empezó a nevar. La nieve cubrió el bosque y también le cubrió a él. Estaba tiritando y se dijo:
—¡Ojalá fuera un oso!

Cuanto más tiempo seguía sentado, más frío tenía. Se le helaban los dedos de los pies y las orejas y le castañeteaban los dientes. De la nariz y la barbilla le colgaban carámbanos de hielo. Le habían dicho tantas veces que era un hombre, tonto, sin afeitar y con un abrigo de pieles, que se había convencido de que debía ser verdad.

Y así se quedó sentado, porque no sabía lo que tenía que hacer un hombre, tonto, sin afeitar y con un abrigo de pieles que se estaba muriendo de frío en la nieve.

El pobre oso estaba muy triste y se sentía muy solo. No sabía qué hacer.

Pero de repente se levantó y cruzó la espesa nieve camino de la cueva.

Dentro se estaba calientito y a gusto. El viento helado y la nieve, tan fríos, no conseguían entrar. Y sintió cómo todo su cuerpo iba entrando en calor.

Se dejó caer sobre un lecho de ramas de pino y se durmió enseguida feliz.

Soñó dulces sueños, como todos los osos cuando invernan.

Y aunque el CAPATAZ
y el GERENTE
y el VICEPRESIDENTE TERCERO
y el VICEPRESIDENTE SEGUNDO

y el VICEPRESIDENTE PRIMERO
y el PRESIDENTE
y los OSOS DEL ZOOLOGICO
y los OSOS DEL CIRCO

habían jurado que era un hombre, tonto, sin afeitar y con un abrigo de pieles, yo sospecho que él nunca se lo creyó, ¿no les parece?

No, desde luego que no. Sabía que no era un hombre tonto.

Y también sabía que tampoco era un oso tonto.

Frank Tashlin

Nació en New Jersey, Estados Unidos, en 1913. En su juventud fue vendedor de periódicos y botones en un hotel. A la edad de veinte años se incorporó como dibujante al equipo de Walt Disney y fue uno de los animadores de *El ratón Mickey* y *El pato Donald*. Escribió guiones para varias películas de Laurel y Hardy.

Defensor permanente de los oprimidos y marginados, los trató siempre con una mezcla de humor y ternura en todas las películas que realizó, así como en los cuatro libros para niños que escribió e ilustró antes de su muerte en 1972.